O Dan y

SUE MAYFIELD
DARLUNIAU GAN SUE HENDRA
TROSIAD GAN ELIN MEEK

DREF WEN

Cyhoeddwyd 2012 gan Wasg y Dref Wen,
28 Ffordd yr Eglwys, Yr Eglwys Newydd,
Caerdydd CF14 2EA, ffôn 029 20617860.
Cyhoeddwyd gyntaf yn y Deyrnas Unedig yn 1995
gan Egmont Children's Books Limited,
239 Kensington High Street, Llundain W8 6SA
dan y teitl *Under the Sea*

Testun © Sue Mayfield 2012
Lluniau © Sue Hendra 2012
Y mae'r awdur a'r arlunydd wedi datgan eu hawl foesol.
Y fersiwn Gymraeg © 2012 Dref Wen Cyf.
Argraffwyd a rhwymwyd yn Singapore.
Mae'r cyhoeddwr yn cydnabod
cefnogaeth ariannol Cyngor Llyfrau Cymru.

Slefren Fôr Grynedig

Môr-ddraenog Bigog

Pysgodyn Perffaith

I Sylvie

S. M.

I Yasmine

S. H.

Slefren fôr Grynedig

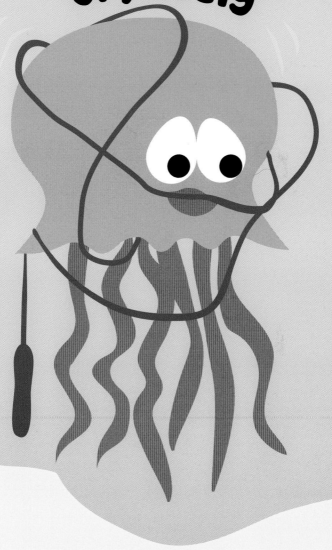

Dyw Slefren Fôr ddim yn ddewr iawn.

Weithiau mae hi'n dechrau crynu.

Mae'n
rhy dywyll!

Mae Slefren Fôr yn dechrau crynu

pan fydd yn dywyll.

'Dere i guddio,' medd Cranc.

Mae Slefren Fôr yn dechrau crynu
pan fydd y dŵr yn oer.
'Dere i nofio,' medd Maelgi.

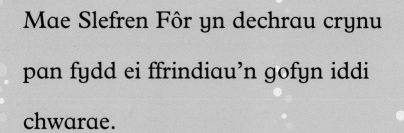

Mae Slefren Fôr yn dechrau crynu pan fydd ei ffrindiau'n gofyn iddi chwarae.

'Dere i sgipio,' medd Morfarch.

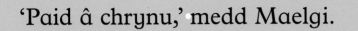

'Paid â chrynu,' medd Maelgi.

'Mae crynu'n hurt,' medd Morfarch.

'Trueni fy mod i mor grynedig,' medd
Slefren Fôr.

O, daro.

Yna, un diwrnod, daw merch newydd i'r ysgol.

'Dyma Octopws,' medd yr athro. 'Dwi eisiau i un ohonoch chi ofalu amdani.'

Helô!

'Dewiswch fi!' medd Maelgi.

'Beth amdana i?' medd Cranc.

'Dewiswch fi!' medd Morfarch.

'Dwi'n dewis Slefren Fôr,' medd yr athro.

'Ond MAE HI'N CRYNU O HYD!'

medd pawb.

Mae Slefren Fôr yn dangos i

Octopws lle i roi ei chôt.

Mae hi'n dangos i Octopws lle i fwyta ei chinio.

Mae hi'n dangos i Octopws lle mae'r tŷ bach!

Yn ystod amser chwarae maen

nhw'n nofio i lawr i'r dwfn.

Dyw'r dŵr ddim yn oer o gwbwl.

Maen nhw'n chwarae cuddio.

Mae'r tywyllwch yn hwyl.

Mae Slefren Fôr yn dysgu Octopws sut i sgipio a phan fydd Octopws yn mynd yn sownd yn ei rhaff, mae Slefren Fôr yn chwerthin.

Pan ddaw Dad, mae Slefren Fôr yn dweud wrtho, 'Dwi wedi gwneud ffrind newydd, a dwi heb grynu O GWBL.'

Mae Dad yn rhoi cwtsh mawr i
Slefren Fôr.

'Da iawn ti!' medd Dad.

Môr-ddraenog pigog

Mae Môr-ddraenog Pigog yn bigog
iawn.

Mae hen bigau miniog, miniog
drosto i gyd.

Pan fydd Môr-ddraenog Pigog yn chwarae â'r pysgod eraill mae ei bigau yn eu taro.

Mae Môr-ddraenog Pigog yn chwarae cuddio gyda Seren Fôr.

Ond mae Seren Fôr yn dweud, 'Aw! Mae dy bigau di'n brifo!'

Mae Môr-ddraenog Pigog yn chwarae hop-sgots gydag Octopws. Ond mae Octopws yn dweud, 'Gwylia! Mae dy bigau di'n finiog!'

Mae Môr-ddraenog Pigog yn chwarae balŵn gyda Morfarch. Ond mae Morfarch yn dweud, 'O na! Mae dy bigau di wedi gwneud twll yn y balŵn.'

Sori!

Does neb eisiau chwarae gyda Môr-ddraenog Pigog.

'Rwyt ti'n rhy bigog!' medd pawb.

Snwff!

Mae Môr-ddraenog Pigog yn drist.

Mae e'n eistedd o dan garreg ac yn

gwylio'r pysgod eraill yn chwarae.

Mae e'n gwylio Maelgi'n chwarae

cuddio gyda Morfarch.

Mae e'n gwylio Octopws yn

chwarae hop-sgots gyda Slefren Fôr.

Mae e'n gwylio Seren Fôr yn chwarae balŵn gyda Cranc.

'Trueni fy mod i mor bigog,' medd Môr-ddraenog Pigog.

Yna, un diwrnod, mae ffrind newydd yn cyrraedd. Mae'r ffrind newydd yn edrych yn union fel Môrddraenog Pigog.

Mae ganddo bigau miniog, miniog drosto i gyd hefyd.

'Rwyt ti'n union fel fi,' medd Môr-ddraenog Pigog. 'Rwyt ti'n bigog i gyd!'

'Beth am chwarae?' medd ffrind newydd Môr-ddraenog Pigog.

Felly mae'r ddau fôr-ddraenog pigog yn chwarae. Maen nhw'n chwarae cuddio. Maen nhw'n chwarae hop-sgots.

A phan fyddan nhw'n chwarae â'r
balŵn ac mae eu pigau nhw'n pigo
twll yn y balŵn … maen nhw'n
chwerthin lond
eu boliau pigog.

Ha ha ha!

Pysgodyn perffaith

Mae Pysgodyn Perffaith yn berffaith
ym mhob ffordd.

Mae gan Pysgodyn Perffaith smotiau
perffaith.

Mae gan Pysgodyn Perffaith esgyll
perffaith, ac mae gan Pysgodyn
Perffaith gynffon berffaith.

'Edrychwch arna i!' medd Pysgodyn
Perffaith.

'Dwi'n berffaith!'

Mae Pysgodyn Perffaith yn gallu gwneud popeth yn dda. Mae Pysgodyn Perffaith yn gallu nofio'n gyflym iawn. Mae Pysgodyn Perffaith yn gallu chwyrlïo a throelli.

Wiiii!

Mae Pysgodyn Perffaith yn gallu canu'r ffidl, hyd yn oed.

O wir!

'Edrychwch arna i!' medd Pysgodyn Perffaith. 'Dwi'n berffaith!'

Mae Cranc yn hoffi peintio.

'Mae fy llun i'n well,' medd Pysgodyn
Perffaith. 'Mae fy llun i'n berffaith!'

39

Mae Cimwch yn hoffi dawnsio.

'Dwi'n dawnsio'n well,' medd

Pysgodyn Perffaith. 'Dwi'n dawnsio'n

berffaith!'

Edrych arna i!

Mae Octopws yn hoffi gwisgo'n smart.

'Mae fy het i'n well,' medd

Pysgodyn Perffaith. 'Mae fy het i'n

berffaith!'

Edrych ar fy het i!

Dyw'r pysgod eraill ddim yn hoffi

Pysgodyn Perffaith.

Does neb eisiau chwarae gyda hi.

'Nofia gyda fi,' medd Pysgodyn Perffaith.

'Na wnaf,' medd Maelgi.

'Dawnsia gyda fi,' medd Pysgodyn Perffaith.

'Na wnaf,' medd Cimwch.

'Peintia gyda fi,' medd Pysgodyn Perffaith.

'Na wnaf,' medd Cranc.

'Ond dwi'n berffaith!' medd Pysgodyn Perffaith.

Mae Pysgodyn Perffaith ar ei phen
ei hunan bach.

Mae Pysgodyn Perffaith yn drist.

'Pam nad oes neb eisiau bod yn
ffrind i mi?' medd hi.

'Am dy fod ti'n brolio trwy'r amser,' medd Morfarch.

'Am dy fod ti'n meddwl dy fod ti'n berffaith!' medd Cranc.

'Mae hi YN berffaith,' medd Cimwch.

'Ond RYDYN NINNAU'N BERFFAITH HEFYD!' medd pawb.

A phan fydd pawb yn gwisgo'n smart, mae Pysgodyn Perffaith yn dweud, 'Dwi'n dwlu ar eich hetiau chi! Maen nhw'n BERFFAITH!'

'Sori,' medd Pysgodyn Perffaith.

Nawr, pan fydd Cranc yn peintio, mae Pysgodyn Perffaith yn dweud, 'Rwyt ti'n berffaith!'

Pan fydd Cimwch yn dawnsio, mae Pysgodyn Perffaith yn dweud, 'Rwyt ti'n berffaith!'